Este diário pertence a:

Pippa Morgan

NÃO TOQUE!

Ciranda Cultural

CIP-Brasil. Catalogação na Publicação
Sindicato Nacional dos Editores de Livros, RJ

C636
    Coisas que eu amo / [Hothouse Fiction Limited] ; ilustração
Kate Larsen ; tradução Flávia Busato Delgado. - 1. ed. - Barueri:
Ciranda Cultural, 2015. 176 p. : il. ; 20 cm. (O diário da Pippa
Morgan)

    Tradução de: Love and chicken nuggets
    ISBN 9788538066057

    1. Conto infantojuvenil inglês. I. Larsen, Kate. II. Delgado,
Flávia Busato. III. Título. IV. Série.

15-25702
        CDD: 028.5
        CDU: 087.5

Publicado pela primeira vez no Reino Unido em 2015
pela Scholastic Children's Books.
Texto © 2015 Hothouse Fiction Limited
Ilustrações © 2015 Kate Larsen

© 2015 desta edição:
Ciranda Cultural Editora e Distribuidora Ltda.
Tradução: Flávia Busato Delgado

1ª Edição
2ª Impressão em 2017
www.cirandacultural.com.br
Todos os direitos reservados. Nenhuma parte desta publicação pode ser
reproduzida, arquivada em sistema de busca ou transmitida por qualquer
meio, seja ele eletrônico, fotocópia, gravação ou outros, sem prévia
autorização do detentor dos direitos, e não pode circular encadernada ou
encapada de maneira distinta àquela em que foi publicada, ou sem que as
mesmas condições sejam impostas aos compradores subsequentes.

Com amor
e nuggets,
para Kate Cary

Terça-feira, 4 de fevereiro

Eu queria começar este novo diário com notícias bem animadoras, tipo que eu fui convidada para ser a trapezista de olhos vendados do Circo do Voo Ligeiro, ou que eu bati o recorde mundial de comer o maior número de nuggets pulando em uma perna só, ou que eu aprendi a falar grego. Mas não. Em vez disso, tenho que começar este diário com as Notícias Mais Tristes da História dos Diários.

De todos os tempos.

Meu professor, o senhor Bacon, quer que a gente faça (imagine só) um trabalho de Dia dos Namorados.

Dá para acreditar???

Eca!

(Eu coloquei o meu livro da coleção *Explorando o Japão* em pé na carteira, na minha frente, para o professor Bacon não perceber que estou escrevendo no diário.)

O que tem de tão especial no Dia dos Namorados? É só o dia em que os adultos ficam melosos uns com os outros. Cheio de filmes água com açúcar na televisão e músicas românticas pegajosas no rádio (*bocejo*). E também

tem os cartões. As lojas ficam cheias de cartões, TODOS decorados em vermelho e cor-de-rosa e cheios de corações. Ontem no supermercado, eu tentei ver qual era o mais bobo enquanto minha mãe escolhia verduras. Os três mais bobos eram:

1. Um cartão em forma de chiclete com o texto "Você é o amor que nunca vou esquecer. Tudo o que eu queria era grudar em você".

2. "Nós combinamos como ovo e batata frita."

3. "Palavras não podem expressar o quanto eu amo você."
(Eu <u>jamais</u> me imaginaria sentindo algo que não conseguisse expressar com palavras. Nem se fossem palavras inventadas, tipo quando eu me sinto "horripilanterrível" ou "increveliz".)

9

A Catie acabou de me falar baixinho que eu estou sempre "incriveliz"!

PARE DE MEXER NO MEU DIÁRIO, CATIE!

OK! ← (A Catie que escreveu isso.)

(Eu coloquei o livro da Catie aberto em pé na carteira, para ela também não me ver. Ela ficou rindo e fingindo que estava espiando por cima do livro.)

Depois que a minha melhor amiga, a Rachel, mudou para a Escócia, a Catie se tornou minha segunda pessoa favorita no mundo inteiro (mesmo sendo BEM curiosa). Mas a

Catie

gente não concorda em <u>tudo</u>. Por exemplo, meu programa de televisão preferido é *Distrito Policial* e o programa preferido dela é *Ginástica dos Famosos*. (Eu assisti à *Ginástica dos Famosos* com ela na semana passada. Uma jornalista caiu da trave de equilíbrio e um apresentador de televisão ficou preso nas barras paralelas e precisou de ajuda para sair de lá. Ele estava pendurado na barra gritando "Socorro! Estou preso!" com um sotaque francês carregado. Eu me lembrei de quando eu e a minha mãe tentamos jogar panquecas para o alto e a minha foi parar no varal e ficou pendurada lá em cima como um omelete molenga. Eu acho o programa *Ginástica dos Famosos* muito engraçado, mas não é tão bom quanto *Distrito Policial*)

O professor Bacon está escrevendo uma lista na lousa. Ele escreveu ♡♡ "Ideias para os Trabalhos de Dia dos Namorados" ♡♡ em cima e desenhou corações bem grandes com giz cor-de-rosa! Espero que ele não peça para a gente escrever sobre <u>meninos</u>. Meninos são chatos. Alguns até que são legais, mas a maioria só quer saber de jogar futebol e fungar. Os meninos devem ter alguma coisa estranha no nariz. Eu só fungo quando fico gripada, mas eles fungam O TEMPO TODO.

Ha ha! O Jason Matlock está em pé na cadeira dele. <u>De novo</u>. Ele fez a mesma coisa semana passada e só desceu depois que o professor prometeu fazê-lo correr em volta do parquinho cinco vezes. Minha mãe disse que alguns meninos são como cachorrinhos: precisam de muita comida e muito exercício. Ela disse que a escola é o pior lugar para eles porque, quando não podem correr para lá e para cá, eles ficam inquietos e começam a mastigar os móveis. Acho que a mãe do Jason devia dar um daqueles brinquedinhos barulhentos para ele brincar na escola.

Enquanto o professor Bacon tenta acalmar o Jason, eu posso fazer minha lista.

Por que meninos são chatos

1. Eles empurram a gente no parquinho.

2. Eles fazem a maior sujeira quando comem.

3. Eles conversam durante a aula (eu escrevo no meu diário durante a aula, mas isso não distrai ninguém).

4. Eles gostam de futebol.

5. Eles acham que arrotar é engraçado.

Quando é que os meninos param de ser chatos? Acho que só quando eles crescem. O professor Bacon não empurra os outros professores no parquinho. Mas o meu pai ainda curte futebol, e ele fazia sujeira na hora de comer e arrotava até a minha mãe pedir para ele não fazer mais isso. Será que foi por isso que eles se separaram? Será que o meu pai queria arrotar na hora das refeições? Agora ele tem namorada. O nome dela é Faye.

Será que ela deixa meu pai arrotar quando eles saem para comer?

Quando a gente se conhecer melhor, vou perguntar para ela.

Mais tarde (na cozinha esperando minha mãe fazer pizza frita para o jantar)

Eu estava COMPLETAMENTE enganada sobre o trabalho de Dia dos Namorados que o professor Bacon pediu. Não é nada meloso! Ele fez uma lista genial na lousa. Era mais ou menos assim:

Temas de trabalho que vocês vão AMAR:

QUALQUER COISA QUE VOCÊS AMEM!!!

E ele sublinhou "QUALQUER COISA" quatro vezes. A melhor lista de todos os tempos! ☺

Então vou poder escrever sobre qualquer coisa que eu ame! Tipo pizza frita, ou cinema, ou a Disney (eu nunca fui para lá, mas com certeza um dia eu vou).

Esse trabalho vai ser demais!

A única parte difícil vai ser decidir sobre o que NÃO escrever. Eu amo TANTAS coisas!!! Só que o professor Bacon disse que a gente só pode escolher três coisas. Só <u>três!</u>

<u>Ideias de temas para o trabalho</u>

Detetives: (que nem o detetive Mike Hatchett do programa *Distrito Policial*) se não fossem os detetives, os criminosos estariam POR TODA PARTE!

Cachorros: os cachorros são os melhores. Se eu tivesse um, ele se chamaria Pipoca. Eu poderia treinar o Pipoca para encontrar meus prendedores de cabelo (que eu sempre perco).

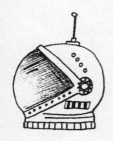

Astronautas: imagine flutuar pelo espaço! Quando eu crescer, provavelmente já será possível ir para Marte. Vai ser TÃO incrível!

O Parquinho: eu tive ótimas ideias quando estava no balanço. Subir e descer pelo ar faz meu cérebro pensar melhor. O movimento me deixa acelerada e dá um frio na barriga. Eu amo!

O Circo: eu quero ser trapezista. Também quero ser domadora de leões (mas agora os circos não têm leões. Então, acho que eu poderia domar professores).

Tiffany J: ela é a melhor cantora pop do mundo. Eu ia ser igualzinha a ela, mas descobri que não sei cantar. Só que eu sei dançar muito bem, então acho que eu poderia ser uma das dançarinas dela.

Nuggets de frango: a MELHOR comida do mundo. A pessoa que inventou os nuggets é um GÊNIO.

Ah, tenho que ir agora: estou sentindo cheirinho de pizza frita!

Quarta-feira, 5 de fevereiro

Eu não acredito que eu achava que o Dia dos Namorados era meloso. O professor Bacon está ensinando a gente sobre o São Valentim, que era <u>muito</u> corajoso e nem um pouco meloso.

Ele vivia na Roma Antiga e era tipo a versão romana de um padre que casava as pessoas escondido para que o imperador não as mandasse para a guerra. Naquela época, os homens casados não tinham permissão para lutar porque tinham que cuidar da família. Mas o exército estava com poucos soldados, então o imperador criou uma lei que dizia que as pessoas <u>não podiam</u> mais se casar.

Então, o São Valentim começou a casar escondido (não era ele que casava, ele só fazia o papel de padre na hora do "sim"). Só que o imperador descobriu tudo e ficou tão bravo que cortou a cabeça dele. Foi aí que o São Valentim se tornou um santo.

Ele era TÃO corajoso. Imagine só, ele queria tanto ajudar as pessoas que nem ligou para o perigo de cortarem a cabeça dele. Acho que eu nunca conseguiria ser tão corajosa. O São Valentim é meu novo herói.

Eu comecei a me imaginar no lugar do São Valentim (antes de cortarem a cabeça dele): eu estava casando duas pessoas em segredo. Os soldados marchavam para cima e para baixo pelas ruas, à procura de homens para o exército. O casamento estava acontecendo em um porão.

Tinha umas tochas acesas na parede e o porão estava todo iluminado. A gente tinha que falar bem baixinho para ninguém ouvir. Eu tinha acabado de dizer "Eu os declaro marido e mulher", quando um soldado entrou de repente apontando para o noivo, dizendo "Você tem que entrar para o exército", aí eu dei um passo para a frente e disse "Ele não pode. Ele é <u>casado</u>!"

Esse seria o casamento mais legal de todos. ☺☺☺

O casamento dos meus pais não foi nada parecido com esse. Eu vi as fotos. Eles não se casaram em um porão em Roma. Eles se casaram em uma praia em Portugal, o que é muito legal. Nós voltamos para essa praia quando eu tinha 4 anos. Eu não me lembro muito bem disso, só lembro que minha mãe e meu pai ficaram na areia e se beijaram. Eca!!!

Nossa! Meus pais se amavam! Eu tinha me esquecido disso. Parece que eles sempre foram divorciados, mas na verdade eles se separaram ano passado. Agora que meu pai está saindo com a Faye, ele está mais feliz do que nos últimos anos. Mas minha mãe ainda está sozinha. Ela tem a mim, mas não é a mesma coisa que ter um marido.

O que o São Valentim faria?

Já sei! Ele encontraria um _marido_ para ela! Se o São Valentim pode fazer isso, eu também posso! Esse vai ser o meu _verdadeiro_ trabalho de Dia dos Namorados. Eu vou fazer a minha mãe se casar no dia 14 de fevereiro para ela não ter que ficar vendo filmes melosos e escutando músicas bobas de amor sozinha. Não tenho muito tempo: DEZ DIAS!!! Se eu me esforçar, eu sei que consigo.

O São Valentim vai ficar TÃO orgulhoso de mim! ☺

Mais tarde

A Catie está no ensaio da banda e eu estou no vestiário me escondendo da senhora Khan.

A senhora Khan é a merendeira. Ela falou para os alunos irem lá fora na hora do recreio, mas está muito frio e eu esqueci de trazer luva.

Assim que voltei para a sala, contei para a Catie o meu plano de encontrar um marido para a minha mãe antes do Dia dos Namorados. Ela achou MUITO romântico e até sugeriu que eu pesquisasse na internet, mas minha mãe já tentou arrumar namorado pela internet antes do Natal e não curtiu. Ela disse que era o mesmo que colocar a mão dentro de uma caixa cheia de cobras esperando encontrar um colar de diamantes. Eu preciso encontrar alguém _real_ para a minha mãe, mas acho que ela não conhece nenhum homem real a não ser meu pai, e meu pai tem a Faye agora.

Pouco antes de o sinal tocar, a Julie e a Jennifer perguntaram para mim e para a Catie se a gente tinha decidido os temas do nosso trabalho oficial de Dia dos Namorados. A Julie disse que elas convenceram o professor Bacon a deixar que elas fizessem o trabalho juntas porque elas eram gêmeas idênticas e gostavam das mesmas coisas. A Jennifer disse que elas iam falar sobre *karaoke*, trampolim acrobático e caratê.

Depois, a Catie contou para as gêmeas quais eram os temas do trabalho dela.

Coisas que a Catie ama

1. Cor-de-rosa (eu devia ter adivinhado. A cama da Catie é tão cor-de-rosa que até brilha!)

2. Tocar trombone (a Catie faz aulas de trombone, mas eu nunca a ouvi tocar.)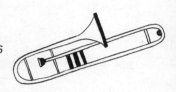

3. Macacos (por ESSA eu não esperava!)

EU: Macacos?

CATIE: (encolhendo os ombros) Por que não?

EU: Você nunca me disse que amava macacos.

CATIE: Você nunca me perguntou.

EU: (tentando me lembrar de sempre perguntar para as pessoas se elas gostam de macacos) Algum tipo especial de macaco?

CATIE: Os fofinhos. Amanhã no zoológico vamos ver os macacos-esquilos. Vou poder tirar fotos para o meu trabalho.

O ZOOLÓGICO! Nossa excursão é <u>amanhã</u>! Eu fiquei pensando tanto nos trabalhos de Dia dos Namorados que tinha até esquecido! Obaaaaa! Estou TÃO animada!

Meus animais favoritos

1. Tigre (porque ele é listrado e cor de laranja! Eu também queria ser listrada e cor de laranja).

2. Dragão-de-Komodo (porque ele pode arrancar os dedos de alguém, *se quiser*).

3. Suricato (porque, quando ele fica em pé sobre as patas traseiras, ele parece um pequeno empresário preocupado esperando um trem).

4. Tartaruga-gigante (eu <u>tenho</u> que andar no casco de uma tartaruga-gigante um dia).

5. Lontra (quem não ama lontras? Elas são <u>tão</u>
   engraçadinhas).

Mais tarde, as gêmeas foram assinar a chamada
e a Catie me perguntou quais eram os temas do
meu trabalho.

   EU: (pensando bem) Os balanços do
parquinho. (pensando melhor) Detetives.

   CATIE: Tipo o Sherlock Holmes?

   EU: Não. Tipo os do *Distrito Policial*. Eles
são legais. Especialmente o detetive Hatchett.
Eu quero MUITO ser detetive de polícia quando
eu crescer.

   CATIE: Qual é a terceira coisa que você
mais ama?

EU: Nuggets de frango. Eu amo DEMAIS.

CATIE: Ah, eu nunca comi nuggets de frango.

EU: (piscando sem parar para que os meus olhos não saltassem da minha cabeça) O quê?! Nunquinha?!

CATIE: (balançando a cabeça) Não. Nunca.

Agora eu tenho DOIS trabalhos a mais de Dia dos Namorados.

1. Encontrar um marido para a minha mãe antes do dia 14 de fevereiro.

2. Fazer a Catie experimentar nuggets de frango pela primeira vez.

Mais tarde ainda (espremendo os olhos porque já passou da hora de dormir e a luz do meu abajur não é muito boa)

Estou tentando dormir, mas estou animada demais com a excursão ao zoológico.

A Catie vai tirar umas fotos bem legais para o trabalho dela de Dia dos Namorados. Eu preciso começar a juntar material para o meu trabalho logo. Eu queria poder mostrar um episódio do *Distrito Policial* para a minha classe.

Hoje à noite eu vi o programa, o detetive Hatchett teve que ir disfarçado a uma lanchonete para pegar uma gangue de traficantes de peixes. A melhor parte foi quando ele invadiu o escritório, arrancou o avental do chefe da gangue e mostrou o distintivo. "Eu sou Hatchett, detetive Hatchett". O chefe da gangue parecia muito chocado. Ele tentou escapar pela janela, mas o detetive Hatchett correu atrás dele e o algemou.

Acho que o professor Bacon não me deixaria mostrar um episódio inteiro. ☹ Talvez eu encontre uma foto do detetive Hatchett na internet para imprimir.

Por que eu amo detetives

1. Eles sempre pegam os bandidos.

2. Eles são espertos: em todos os interrogatórios, o detetive Hatchett sempre consegue as informações que quer. (Minha mãe seria uma ótima detetive. Eu não consigo esconder nada dela. Quando eu era pequena, eu achava que ela conseguia ler a mente das pessoas.)

3. Eles conseguem se disfarçar, ou seja, podem ser o que quiserem (que nem quando o detetive Hatchett fingiu ser um treinador de golfinhos. Na verdade, ele teve que nadar nas costas de uma baleia assassina. Foi emocionante!).

4. O carro deles tem sirene (eu e minha mãe chegaríamos ao centro da cidade em cinco minutos se o carro dela tivesse sirene).

Eu estou ouvindo minha mãe subir as escadas. É melhor eu esconder o diário. Ela sempre vem me dar um beijo antes de dormir.

Quinta-feira, 6 de fevereiro

DIA DE EXCURSÃO!!!

Adivinhe só! A mãe da Catie está ajudando na organização da excursão, junto com outros pais! Ela decidiu ser voluntária na última hora. Eu queria que a minha mãe também tivesse vindo, mas ela está trabalhando.

A gente já está no ônibus. Estou TÃO animada. Estou esmagada contra a janela, do lado do Darren. Ele está ocupado com um joguinho no celular, ou seja, posso escrever no meu diário em paz. ☺

A Catie está sentada na minha frente, perto da mãe dela, tentando ensinar o nome de todos os alunos. (Eu acho que a senhora Brown não aprende tão rápido. Ela fica confundindo a Julie com a Jennifer e acha que o Jason se chama James.)

O Jason está superempolgado! Quando a mãe da Catie pediu para a gente fazer silêncio, ele começou a imitar um macaco.

A Jennifer e a Julie acharam engraçado e ficaram rindo enquanto iam atrás dele pelo corredor, mas eu e a Catie nem ligamos para ele. A gente estava cochichando, tentando pensar em um plano para arrumar um marido para a minha mãe antes do Dia dos Namorados.

EU: Eu poderia colocar folhetos na caixa de correio dos vizinhos.

CATIE: Acho que sua mãe não ia gostar disso.

(O Jason começou a escalar o banco do ônibus, gritando como um macaco.)

EU: Eu poderia fazer um leilão na internet.

CATIE: Acho que você não pode vender sua mãe.

EU: Não seria _bem_ uma venda. Seria tipo um anúncio.

(O Jason começou a _se_ balançar pendurado no bagageiro e a senhora B implorou para ele descer.)

SENHORA B: (parecendo assustada) O James é perigoso?

JULIE: Quem, o Jason? Não. Ele só é cheio de energia.

JASON: Minha mãe disse que, se me ligarem na tomada, daria para ligar um bilhão de torradeiras.

SENHORA B: (parecendo mais assustada ainda) Vamos ficar longe de tomadas, OK?

Hoje vai ser incrível! A Jennifer e a Julie compraram um zilhão de balas de gelatina. Eu e a Catie trouxemos o celular. A Catie vai tirar fotos de macacos para o trabalho dela e eu vou tirar foto de TUDO. Ela me contou fatos interessantes sobre os macacos:

- Eles conseguem abrir a tampa de potes (ela viu em um documentário).

- Eles conseguem capturar formigas com pauzinhos (o mesmo documentário).

- Eles conseguem se pendurar pelo rabo (nem o Jason consegue fazer isso).

Eu queria ter rabo. Ia ser tão legal. Com ele, eu poderia fazer lição de casa e ao mesmo tempo mandar mensagens de texto com os dedos.

Esse negócio de pegar formigas com pauzinhos não é tão bom assim porque os macacos fazem isso e depois comem as formigas. VIVAS! Dá para imaginar formigas correndo em cima da sua língua? Ecaaaa! Se eu fosse um macaco, eu ia comer só banana mesmo.

Uau! Acabei de ver a placa do zoológico. Dá para ver a entrada.

Estamos entrando no estacionamento! Hoje vai ser o melhor dia de todos!

Mais tarde

Fizemos uma pausa para o lanche.

A Julie e a Jennifer estão na fila do cachorro--quente e da batata frita e eu estou sentada em uma mesa de piquenique com a Catie.

Coitada da Catie. Parece que ela viu um fantasma. Pelo menos ela parou de tremer. Eu falei para o professor Bacon que ela não queria ir para a Casa dos Répteis. Ela não gosta NADINHA de cobras. Mas a mãe da Catie disse que não tinha problema se ela fosse. E o professor disse que era melhor a Catie não se separar do grupo. Então ela me seguiu, como se a gente estivesse indo para uma masmorra cheia de monstros.

Ela disse que cobras dão calafrios nela.

Não é a MELHOR palavra do mundo? Espero que algo me dê calafrios um dia! Parece divertido, mas a Catie disse que não é.

Por que a Catie tem medo de cobras

1. Elas são onduladas.

2. Elas são sibilantes.

– Só por isso? – eu disse, mas a Catie questionou:

– Não é o suficiente?

Então eu disse que os gatos podem ser ondulados e sibilantes e ela disse que a diferença é que eles têm patas. Daí eu disse:

— Você ia gostar de cobras se elas tivessem patas?

Ela ficou pálida e não respondeu.

Eu confesso que adoro cobras. Eu ia adorar escorregar de barriga pelo chão e deslizar pelos canos e por baixo dos móveis. Eu falei isso para a Catie, mas ela cobriu as orelhas e fez "lá, lá, lá". Então eu achei melhor não falar que eu já tinha até pensado em como seria digerir um rato vivo bem devagarinho. (Não que eu queira, mas não deve ser pior que ter formigas vivas na língua.)

ENFIM.

Na Casa dos Répteis, a gente ficou perto da mãe da Catie. O Jason não parava de fazer barulho, correndo de uma janela para a outra e encarando as cobras. A Catie ficava a maior parte do tempo olhando para os próprios pés, especialmente quando a gente chegou perto da naja (foi fantástico porque a naja estava se erguendo com a cabeça para trás, parecia que ia dar o bote).

Quando a gente chegou na área da jiboia, a senhora Brown convenceu a Catie a olhar para a cobra, que estava enrolada dormindo. Enquanto a Catie estava olhando nervosa para o vidro, escutei uns passos atrás da gente. Então de repente ouvimos um sibilo e a Catie gritou e deu um pulo, como se um rato tivesse subido na perna dela.

Eu me virei bem a tempo de ver o Jason correr para fora da Casa dos Répteis, rindo.

A Catie começou a chacoalhar as mãos atrás da nuca.

— Tirem isso de mim! Tirem isso de mim! — ela gritava.

Enquanto a senhora Brown corria atrás do Jason, eu tentava acalmar a Catie.

EU: Não tem nada aí. Era só o Jason tentando assustar a gente.

CATIE: (tremendo) Alguma coisa encostou no meu pescoço!

EU: Era só o Jason (na minha opinião, ele é pior que uma cobra).

CATIE: (olhos marejados) Tem certeza?

EU: (abraçando a Catie) Eu juro.

O professor Bacon estava do outro lado do corredor vendo tudo, mas eu sorri para ele, assim ele ia saber que estava tudo bem e ia levar a Catie para fora da Casa dos Répteis.

O Jason Matlock é horrível! Eu espero que ele seja comido por um tigre.

As gêmeas prometeram que não iam deixar o Jason chegar perto da Catie durante o resto da excursão. Eu vou fazer uma torre inclinada de batata frita para animá-la.

Mais tarde ainda

Estou em casa agora. Minha mãe está passando o aspirador de pó e eu devia estar lavando louça, mas o meu diário é mais importante. Porque eu tenho TANTA COISA para contar!

A gente almoçou do lado das girafas. Eu fiquei esperando as girafas se inclinarem sobre a cerca e morderem meu lanche. Mas elas não fizeram isso. Elas só ficaram andando de um jeito esquisito, igual a minha mãe quando está de salto alto.

Eu finalmente descobri como elas bebem água. Elas afastam as patas da frente e abaixam a cabeça até alcançarem a água. Parece bem desconfortável. Eu perguntei para um guarda por que eles não colocavam bebedouros no alto para as girafas, mas ele disse que no zoológico eles gostam de "manter o habitat o mais natural possível". Será que é por isso que a gente não usa talheres na lanchonete? Eu acho que o ser humano comia com as mãos antes de inventarem lanchonetes. Acho que as lanchonetes estão tentando manter isso mais real.

ENFIM.

Algo maravilhoso aconteceu depois do almoço. Eu conheci um detetive de verdade! No ZOOLÓGICO! Foi totalmente inesperado.

Primeiro, toda a classe se aglomerou em volta do lugar onde ficava o elefante, e o professor Bacon explicou que os elefantes da Ásia são parentes mais próximos dos mamutes que os elefantes da África.

Depois, fomos ver os macacos. A Catie estava tão empolgada. Ela já tinha se esquecido

do episódio do Jason na Casa dos Répteis
(acho que a minha torre inclinada de batata
frita ajudou) e ela estava radiante com o maior
sorriso do mundo quando eu tirei algumas fotos
dela na frente dos macacos-esquilos. Eles ficaram
correndo atrás da cerca de arame e foi difícil
tirar uma foto boa, mas depois a Catie se virou
e chamou os macacos-esquilos, e todos eles
pararam e olharam para ela. Eles
a olhavam com olhos grandes
de adoração, como se ela fosse
a Rainha dos Macacos.
Eu tirei a MELHOR foto
de todas!

Depois, o professor Bacon dividiu a gente em equipes para jogar o Bingo do Zoológico. Para cada equipe ele deu uma folha com um monte de fotos de vários animais. A gente tinha que encontrar no zoológico todos os animais da folha e assinalá-los, depois voltar para a jaula dos macacos. Eu e a Catie estávamos no grupo das gêmeas. O professor disse que nós éramos maduras o suficiente e podíamos fazer isso sozinhas, desde que ficássemos juntas. O grupo do Jason teve que ficar com a mãe da Catie.

A primeira foto era um alce e eu me lembrava de ter visto uma placa de alce perto da loja de presentes. Então eu corri para lá, com a Catie e as gêmeas correndo atrás de mim. Depois que a gente atravessou a área dos alces, a Catie disse que sabia onde ficavam os avestruzes e periquitos. Então, vimos que tinha um sapo na nossa folha. E uma cobra. As gêmeas disseram que a gente tinha que voltar para a Casa dos Répteis. A Catie começou a ficar pálida de novo, mas as gêmeas se ofereceram para entrar e falaram que eu e a Catie podíamos esperar do lado de fora. Aí a Catie disse algo INCRÍVEL.

CATIE: Eu vou entrar.

EU: (confusa) Mas você tem medo de cobra.

CATIE: Eu vou entrar mesmo assim.
O professor disse que temos que ficar juntas.

E de repente ela entrou.

Eu fiquei tão orgulhosa! Ela entrou e passou direto pelas cobras, depois foi em direção aos sapos. Eu e as gêmeas tivemos que correr para alcançá-la. A Catie olhou através do vidro e apontou para um sapo laranja escondido entre umas folhas verdes enormes. Então, ela se virou, apontou para a jiboia e disse:

– A gente pode assinalar a <u>cobra</u> na folha também.

Ela nem estava tremendo!

Eu estava tão orgulhosa que até tirei uma foto dela na frente da jiboia como prova de que a Catie Brown é <u>a garota mais corajosa do mundo.</u>

A gente encontrou todos os outros animais rapidinho e correu de volta para perto da jaula dos macacos. O professor Bacon estava esperando em um banco, parecendo sonolento.

Ele se levantou quando viu a gente correndo na direção dele.

EU: Somos as primeiras?

JULIE: Nós vimos todos os animais!

A Catie entregou a nossa folha com todas as figuras assinaladas para ele e eu mostrei minha foto da Catie supercorajosa na Casa dos Répteis.

O professor sorriu e deu parabéns para a gente. Os outros alunos começaram a aparecer. Quando todos estavam comparando as folhas e verificando quem tinha encontrado todos os animais, a mãe da Catie chegou correndo com o Darren e o Tom, parecendo atordoada.

SENHORA BROWN: O James está aqui?

CATIE: É JASON!

SENHORA BROWN: (parecendo mais atordoada ainda) O Jason está aqui?

PROFESSOR: Eu não o vi.

SENHORA BROWN: Ele fugiu quando eu estava tirando uma pedra do meu sapato.

O professor Bacon começou a organizar novos grupos para ir em busca do Jason. A senhora Brown ficou se desculpando, mas o professor falou para ela que isso acontecia em toda excursão da escola. Mesmo assim, ele parecia bem preocupado.

Todos estavam falando ao mesmo tempo, era bem difícil escutar o que o professor falava.

Eu imaginei o Jason na área dos elefantes, preso na tromba de um elefante bravo. E então eu pensei que ele podia ter subido no vidro da jiboia e agora

estava sendo esmagado em silêncio até a morte. Aí eu olhei para a jaula do macaco. Eu meio que esperava ver o Jason se balançando pelos galhos. Enquanto eu ficava imaginando o Jason nadando com os pinguins, um homem alto de sobretudo apareceu atrás dos meus colegas e chamou o professor.

HOMEM ALTO: Alguma coisa errada?

PROFESSOR: Perdemos um membro do grupo.

HOMEM ALTO: Posso ajudar? Sou detetive de polícia.

UM DETETIVE! Meu cérebro pegou fogo! Eu não conseguia ficar parada. Um detetive de verdade! No zoológico!

O professor Bacon parecia aliviado e o detetive começou a perguntar para a senhora Brown e para o Darren e o Tom onde eles tinham visto o Jason pela última vez (era como um interrogatório de verdade, a não ser pelos macacos que pulavam para lá e para cá atrás da gente). Então ele seguiu em frente e todos foram atrás dele como se ele fosse o Flautista de Hamelin.

Lógico que o Jason estava na loja de presentes.
Ele estava olhando os cartões postais e riscando
os animais da cartela de bingo dele.

Enquanto o resto da classe se amontoava
do lado de fora, o professor Bacon e o detetive
entraram na loja para buscá-lo.

A senhora Brown ficou tão feliz que eu pensei
que ela fosse abraçar o Jason. O professor ficou
chacoalhando a mão do detetive enquanto lançava
olhares de repreensão para o Jason. O Jason
deu de ombros e fungou como se não soubesse
o motivo de tanto alarde.

Então eu tive a melhor ideia do mundo!

Eu levantei a mão e acenei para o detetive:

– Posso entrevistar você para o meu trabalho
escolar? Por favoooor!

O detetive olhou para o professor Bacon.

O professor disse que eu podia. Ele já estava levando os alunos (inclusive o Jason) para dentro da loja de presentes. Então, enquanto todos compravam cartões postais e apontadores em forma de tigres, eu sentei em um banco e entrevistei um detetive <u>de verdade</u>!

Eu estava tão nervosa que quase não conseguia falar, mas aí imaginei que eu era o Mike Hatchett do programa *Distrito Policial*. Eu peguei minha prancheta, dei uma olhada no relógio e disse:

— Início da entrevista às 13h50.

EU: Diga seu nome, posto e número de patente. (Todo policial tem um número de patente. Aprendi isso no *Distrito Policial.*)

DETETIVE: Brad Burrows, detetive, número 22244.

EU: Onde está o seu emblema? (Todo policial tem um emblema também.)

DETETIVE: No meu uniforme, na cidade de Barnsbury.

EU: Você tem um distintivo especial de detetive? (O Mike Hatchett sempre verifica se a testemunha não é um impostor.)

DETETIVE: (mostrando o distintivo) Sim.

EU: Você pode prender alguém mesmo quando está fora do horário de serviço?

DETETIVE: Sim.

EU: (imaginei o Jason atrás das grades, depois percebi que estava viajando nas ideias. Um <u>bom</u> detetive tem que ficar focado no caso e meu caso era descobrir tudo o que eu pudesse sobre o detetive Burrows.) O que você está fazendo no zoológico? Está trabalhando disfarçado?

DETETIVE: (sorrindo para uma mulher e um menininho que estavam observando os macacos) Não. Hoje é meu dia de folga, então vim passear com a minha família.

EU: (desconfiada) Como vou saber que eles não fazem parte da sua equipe disfarçada?

DETETIVE: (acenando para o menininho, que acenou de volta) Nós não recrutamos crianças de 5 anos de idade.

EU: (eu não ia ser enganada assim tão fácil. O menininho devia ser uma armadilha) A que horas você saiu de casa?

DETETIVE: (sorrindo) Às nove em ponto.

EU: Você foi seguido?

DETETIVE: Apenas pelo ônibus número 26, mas consegui me livrar dele no semáforo.

EU: Você aprendeu a *se livrar de* perseguidores na escola de polícia?

DETETIVE: É a primeira coisa que a gente aprende.

EU: O que mais vocês aprendem?
(É importante fazer um questionário detalhado.)

DETETIVE: Aprendemos a lidar com membros da sociedade, como você e o *seu amigo* desaparecido.

EU: Ele não é <u>meu</u> amigo.

De repente eu percebi que o professor Bacon estava acenando para mim de fora da loja de presentes enquanto o resto da classe ia para o ônibus.

DETETIVE: Eu acho que o seu professor está chamando você.

EU: Ele espera. (De repente eu entendi como o detetive Hatchett se sente quando é incomodado pelo superintendente dele.)

O detetive Burrows não parecia convencido, mas eu tinha muitas perguntas para fazer. Este poderia ser o caso mais importante da minha carreira!

EU: Quantos criminosos você já pegou?

DETETIVE: (balançando a cabeça) Perdi a conta.

EU: Você consegue saber se alguém é criminoso só de olhar para ele?

DETETIVE: Pela aparência, não, mas pela maneira como ele age, sim. Eu percebo de longe quando alguém é desonesto.

EU: (apontando para o professor Bacon, que não parava de me chamar) Meu professor parece desonesto?

DETETIVE: Não. Ele parece estar com pressa. É melhor você ir para não perder o ônibus.

EU: Só mais uma pergunta.

DETETIVE: Eu preciso ficar com a minha família.

EU: Qual é a melhor coisa de ser detetive?

DETETIVE: Ajudar as pessoas.

Eu sorri. Essa foi a melhor resposta de todos os tempos. Vai soar incrível na minha apresentação. Eu olhei para o meu relógio de novo e disse:

— Fim da entrevista às 14h em ponto.

O detetive se levantou e sorriu para mim:

— Você vai ser uma grande detetive um dia.

Eu sorri radiante e agradeci. Mal posso esperar para escrever isso no meu trabalho.

Eu amo detetives porque um dia <u>vou ser detetive</u>. (Ou acrobata, ou advogada, ou designer de foguete espacial... ainda não me decidi.)

Na volta, eu sentei perto da Catie porque a senhora Brown queria sentar sozinha na frente (ela disse que estava cansada e que queria praticar as "técnicas de relaxamento" dela).

EU: Você se divertiu, Catie?

CATIE: (olhando para as fotos dela com os macacos e a foto da cobra no meu celular) Foi o melhor dia DE TODOS.

Foi _mesmo_. Eu entrevistei um detetive _de_
verdade! Meu trabalho de Dia dos Namorados
vai ficar genial! ☺ ☺ ☺

Agora eu preciso começar a pensar nos meus
outros trabalhos: nuggets para a Catie e um
marido para a minha mãe!

Sexta-feira, 7 de fevereiro

Hoje de manhã, eu fui correr com a minha mãe. Ainda estava ESCURO. As luzes da rua deixavam a gente cor de laranja, então eu fingi que eu era um tigre e que a gente estava correndo pela selva. Eu comecei a rugir para as pessoas que estavam correndo, mas minha mãe falou para eu parar. Eu falei para ela que é isso o que os tigres fazem, mas ela disse que as pessoas não querem encontrar tigres durante a corrida matinal delas. Quem não ia querer encontrar um tigre? As pessoas são esquisitas.

Minha mãe começou a praticar corrida depois que o meu pai se mudou. Ela disse que ia virar vegetariana também. Ainda bem que ela ainda não conseguiu fazer isso. Acho que eu morreria sem sanduíche de bacon. Mas ela já conseguiu fazer outras coisas, tipo cortar o cabelo e começar a ouvir rock bem alto (bem alto MESMO, principalmente na hora de cozinhar, dá para sentir a casa balançando. Outro dia, ela estava com uma colher de pau na mão fingindo que tocava guitarra enquanto o macarrão estava no fogo. Eu entrei na dança, tocando bateria na mesa da cozinha com pauzinhos).

ENFIM.

Enquanto a gente corria pelo parque (sem rugir), eu contei para a minha mãe sobre o São Valentim e disse que cortaram a cabeça dele porque ele casava muitas pessoas.

MINHA MÃE: (correndo) Bem feito para ele.

EU: (ofegante) Você não quer casar de novo?

MINHA MÃE: Não.

EU: (entrando em pânico por causa do meu trabalho de Dia dos Namorados) Nunca?

MINHA MÃE: Por enquanto, não.

EU: (esperançosa) Um dia?

MINHA MÃE: Talvez.

Eu fiquei quieta durante o resto da corrida, sem rugir nem falar. Como é que a minha mãe não queria se casar? Será que ela gostava de ficar sozinha? Eu percorri todo o caminho do parque preocupada. Então, enquanto a gente foi descendo pela rua, eu percebi: ela ainda não encontrou o homem certo!

Não se preocupe, São Valentim! Ela vai mudar de ideia quando eu encontrar o par perfeito para ela.

Tenho que me arrumar para a escola. Mas, primeiro, vou tirar uma foto minha para mostrar para a Catie. Meu rosto ainda está brilhando por causa da corrida. Estou mais rosada que a coberta da Catie!

Mais tarde

Assim que entrei na aula, mostrei minha foto para a Catie. Ela riu tanto que o Jason quis saber o que era tão engraçado. Mas eu não mostro para ninguém de jeito nenhum a minha foto parecendo um pirulito.

Então, o professor Bacon chegou e, depois de fazer a chamada, perguntou como estava indo o nosso trabalho de Dia dos Namorados. A Freya levantou a mão e disse que amava tantas coisas que não conseguia escolher. O Tom disse que só gosta de futebol (*revirando os olhos*) e que ele não conseguia pensar em mais nada. O Jason perguntou se ele podia falar sobre as férias escolares, porque ele ama férias. O professor disse que

74

sim. Aposto que o professor adora férias, porque assim ele fica um tempo longe do Jason. Então o Jason quis saber o que o professor adorava. O professor disse:

— Eu adoro futebol (*revirando os olhos duas vezes*), história (*bocejo*) e a vida no interior.

Ser velho deve ser <u>muito</u> chato.

Aí a Mandy Harrison levantou a mão e perguntou para o professor se ele não gostava da esposa dele. Ele disse que não tinha esposa, e a Mandy quis saber por quê. E o professor disse:

— Acho que ainda não encontrei a mulher certa.

Meu coração quase explodiu de empolgação!

É CLARO!!!

Minha mãe + professor Bacon = AMOR DE VERDADE!!!

Ele é PERFEITO para ela! Ele é inteligente e educado, tem mais ou menos a altura dela e dirige um carro do mesmo tom de azul que o dela. Eles _só podem ser_ almas gêmeas.

Eu tenho que juntar os dois!

Eu levantei a mão na hora e perguntei quando seria a próxima reunião de pais e professores. Seria perfeito para eles se encontrarem. Mas o professor Bacon disse que não ia ter nenhuma reunião até o semestre que vem.

SEMESTRE QUE VEM!

Eu _só_ tenho até semana que vem!

Então o Jason começou a jogar bolinhas de papel e, quando o professor falou para ele parar, o Jason quis saber o motivo, e o professor disse:

– PORQUE, SE VOCÊ NÃO PARAR, EU VOU FALAR COM A SUA MÃE.

Foi aí que tive minha SEGUNDA ideia brilhante. Contei para a Catie no parquinho na hora do recreio.

EU: Já sei! Vou fazer bastante bagunça na sala. Assim, o professor vai querer falar com a minha mãe.

CATIE: (parecendo preocupada) Acho que não é uma boa ideia.

EU: É uma _ótima_ ideia! Assim que o professor e a minha mãe se olharem, eles vão se apaixonar.

CATIE: (ainda parecendo preocupada) E se eles não se apaixonarem?

EU: Eles <u>vão</u> se apaixonar! O professor Bacon é muito legal e a minha mãe é demais! Ela está bem mais legal agora que cortou o cabelo. Eu sei que eles vão gostar um do outro.

CATIE: E se ele ligar para o seu pai e não para a sua mãe?

EU: Ele não vai fazer isso!

A Catie se preocupa DEMAIS. Depois que eu arrumar um marido para a minha mãe e mostrar para a Catie que nuggets de frango são deliciosos, eu vou ajudar a Catie a praticar AMP. AMP significa <u>Atitude Mental Positiva</u>.

A nossa professora de Educação Física, a senhora Ellen, fala disso o tempo todo. Ela acha que, se a gente acreditar que consegue correr mais rápido, a gente _vai_ correr mais rápido. Eu não sei se isso é completamente verdade. Afinal, se <u>acreditar</u> sempre desse certo, eu teria um tigre de estimação e seria capaz de voar. E eu também saberia cantar como a Tiffany J. Mas eu acho que <u>imaginar as coisas</u> faz as pessoas felizes, pelo menos eu fico feliz!

Ontem à noite, eu estava fazendo lição de matemática e imaginei que eu estava em um show da Tiffany J e ela me chamou para dançar com ela no palco. Eu dancei tão bem que ela me chamou para o camarim, nós ficamos muito amigas. Ela até insistiu para eu ficar com ela na ilha particular dela. E a ilha era fantástica: a areia era clarinha e tinha umas palmeiras e a água era a mais azul que eu já vi na vida, e a casa da Tiffany era enorme e tinha uma piscina com cascata.

E bem quando eu estava prestes a descer a cascata, minha mãe me perguntou por que a lição de matemática estava me fazendo sorrir tanto. Então eu contei a ela que eu estava

sorrindo porque a lição era muito fácil. E adivinhe!
Era _mesmo_.

ENFIM.

Tenho que bolar um plano para fazer o
professor Bacon ficar MUITO bravo comigo
na _segunda-feira_, assim ele vai falar com a
minha mãe. Sempre que ele fala com a mãe do
Jason, ele espera por ela no parquinho depois
da aula e eles vão até a escola para ele "dar
uma palavrinha" com ela. (Aposto que é bem
mais do que _uma_ palavrinha.) Então eu tenho
que convencer minha mãe a estar bem bonita
quando ela vier me buscar na _segunda-feira_.

Eu nunca fiz bagunça na sala, mas eu sei que o
professor Bacon vai me perdoar assim que ele
encontrar a minha mãe. Eu já estou imaginando
minha mãe em frente ao portão da escola,

usando um lindo vestido esvoaçante. O cabelo dela vai estar perfeito, e o professor vai olhar para ela como se ele tivesse sido acertado pela flecha do amor (que nem as pessoas nos cartões de Dia dos Namorados. Eu não entendo  direito o que as flechas têm a ver com o amor. Acho que antigamente as pessoas acertavam flechas nas caixas de correio para entregar as cartas de amor).

Eu mal posso esperar! Segunda-feira vai ser IGUALZINHO aos filmes românticos que a minha mãe assiste: acontece um monte de confusão e aí os protagonistas se apaixonam e vivem felizes para sempre.

Mais tarde ainda

Estou na casa do meu pai. E ADIVINHE!

MEU QUARTO ESTÁ INCRÍVEL!!! ☺

Quando entrei no apartamento, percebi que o meu pai tinha feito alguma surpresa. Ele abriu a porta todo sorridente e cheio de segredo, como ele faz quando esconde meu presente de Natal para eu não descobrir o que é. Ele me levou para o meu quarto e disse que ele e a Faye tentaram deixar o quarto um pouco mais alegre.

Eu fiquei TÃO feliz quando ele abriu a porta.

Eles conseguiram MESMO! ☺☺ Semana passada, meu quarto só tinha a escrivaninha, a cama e dois pôsteres da Tiffany J na parede. Agora, tem uma coberta amarela novinha, um tapete peludo igualzinho ao da Catie e almofadas bonitinhas por toda parte.  E também tem luzes pequenininhas em volta da cabeceira E em cima da escrivaninha E uma cortina nova laranja E um pufe.  A Catie tem que vir me visitar aqui DE QUALQUER JEITO. Eu estava com um pouco de vergonha antes porque o apartamento do meu pai era vazio e triste, mas depois que ele começou a sair com a Faye, começaram a aparecer pufes, tapetes e quadros por todos os lados. Tem até velas aromatizadas do lado da TV.

84

Eu dei o maior abraço no meu pai e falei que o amava. Então ele me disse que estava fazendo Carinhas de pizza para o jantar. (Carinhas de pizza são a especialidade do meu pai. Ele sempre me deixa escolher os acompanhamentos e colocá-los no formato de uma carinha.)

E aí ele me perguntou se tinha algum problema se a Faye viesse aqui depois do jantar.

Eu não sabia direito se eu queria dividir o meu pai com ela. Eu só vou ver meu pai uma vez esta semana. Mas aí eu olhei para o meu novo quarto. Ele estava tão lindo. Seria maldade minha não dividir o meu pai com a Faye, que foi tão legal comigo. Então eu disse para ele que a Faye podia jantar com a gente, assim ela podia fazer uma carinha personalizada na pizza dela.

Meu pai deu uma risadinha e eu fiquei feliz porque ele estava feliz.

A Faye está aqui agora, na cozinha, ajudando meu pai a fazer a massa da pizza. Parece que eles estão se divertindo. Meu pai não para de rir e a Faye fica falando para ele fazer silêncio, depois cai na gargalhada. Eu não sabia que pessoas mais velhas gargalhavam.

Minha mãe precisa de alguém para gargalhar com ela também. Eu mal posso esperar até segunda-feira de manhã para eu poder bagunçar na classe. O professor Bacon vai pensar que tem um alienígena no meu lugar, que nem no filme de terror que eu vi com a minha mãe semana passada, tirando os olhos de laser. Se eu tivesse olhos de laser, o professor Bacon falaria com a minha mãe na hora.

Domingo, 9 de fevereiro

Eu e a Catie fomos para o centro da cidade com a minha mãe hoje à tarde porque a minha mãe ia fazer escova no cabelo. (Eu a convenci que ela merecia um agrado porque ela trabalha demais. Eu não disse que era porque eu queria que ela ficasse LINDONA quando fosse me buscar na escola segunda-feira.)

Minha mãe ficou no salão de beleza e a gente foi procurar coisas para fotografar para o trabalho de Dia dos Namorados.

A Catie tirou foto de todos os vestidos, batons e pares de sapato cor-de-rosa que a gente viu. Eu decidi que ela precisava de uma coisa interessante para o trabalho dela. Coisas cor-de-rosa quase sempre são chatas. Eu falei para ela tirar uma foto da minha língua e ela riu muito e tirou a foto. Infelizmente, eu tinha chupado pirulito e a minha língua estava azul, o que fez a Catie rir ainda mais. Aí eu vi uma bola de chiclete presa em um poste. Era MUITO brilhante e cor-de-rosa e tinha forma de polvo. Eu mostrei para a Catie, mas ela disse que não era bonito o bastante e, antes que eu pudesse dizer que interessante é muito melhor que bonito, ela saiu correndo rua abaixo gritando: – Rápido, Pippa! Achei uma coisa perfeita!

Quando alcancei a Catie, ela estava parada na frente da floricultura, com os olhos enormes e brilhando de alegria.

– Olhe! – ela suspirou, sonhadora. – Que romântico!

Ela estava olhando um *buquê* enorme de flores cor-de-rosa que estava na janela. Do lado tinha uma placa que dizia "Lembre-se de mandar flores no Dia dos Namorados".

ECA!

Por que ALGUÉM manda flores no Dia dos Namorados? Se eu tivesse namorado (eca duas vezes), eu não ia querer que ele me mandasse uma coisa que ficaria em um vaso e que morreria na minha frente. Eu ia querer algo útil, tipo um tigre ou um trapézio ou um capacete de astronauta. Ou chocolate. Pelo menos, eu ia poder comer.

Eu não *sei se* o São Valentim ia querer ser lembrado por causa de flores. Ele ia pensar, tipo, "Eu fui decapitado para ISSO?"

Mesmo assim, a Catie tirou uma foto, eu só fiquei olhando triste para o poste onde aquela bola de chiclete incrível estava grudada, esquecida e sem amor.

Então minha mãe saiu do salão de beleza do outro lado da rua e chamou a gente:

– Vocês querem comer lanche?

– Sim! – respondi, levantei a mão e corri na direção da minha mãe.

Só depois que a minha mãe levou a gente até a entrada da lanchonete que eu vi que a Catie estava nervosa. Enquanto a minha mãe ia para a fila no balcão, a Catie voltou e parou do lado da porta, depois olhou em volta como se tivesse pousado em Marte e estivesse vendo

alienígenas de olhos esbugalhados em todas as mesas.

EU: (sussurrando) Você está bem?

CATIE: (sussurrando também) Eu nunca tinha entrado numa lanchonete.

Eu não caí <u>de verdade</u>, mas o chão parecia balançar embaixo dos meus pés, como se alguém tivesse virado o mundo de cabeça para baixo.

EU: Nunca? Por quê?

CATIE: (sussurrando mais baixo ainda) Porque minha mãe não deixa.

EU: (fazendo uma imitação ótima de um alienígena de olhos esbugalhados) Ela é vegetariana?

CATIE: Não. É que ela prefere comida saudável.

Minha mãe estava analisando o cardápio gigante do lado do balcão.

— O que vocês vão querer? — ela perguntou.

Eu disse que a gente ainda não tinha decidido. Era minha chance de fazer a Catie experimentar nuggets de frango pela primeira vez!

EU: Você come um monte de comida saudável em casa, né? (Eu já sabia a resposta. A última vez que eu jantei na casa da Catie, a gente comeu peixe orgânico cozido com arroz integral. Eu nem sabia que existia arroz integral, mas pelo jeito é muito saudável...)

CATIE: Acho que sim.

EU: Todas as semanas e nas semanas depois delas?

CATIE: Acho que sim.

EU: Então de vez em quando você pode comer coisas que não são saudáveis.

CATIE: (olhando para as imagens de hambúrgueres e batatas fritas atrás do balcão) Eles servem salada?

EU: Salada? Ninguém come salada na lanchonete.

De repente, eu me senti um diabinho de desenho animado no ombro da Catie cutucando o rosto dela com um grande tridente. Eu meio que  esperei uma Pippa angelical aparecer e convencer a Catie que seria melhor pegar salada.

Eu afastei esse pensamento para BEM longe. A Catie <u>precisava</u> experimentar nuggets de frango. E era meu dever de amiga garantir que ela comesse pelo menos um antes de morrer. Eu seria muito cruel se não deixasse a Catie ter uma das melhores experiências do mundo. Eu fiz uma oração rápida para São Valentim na minha cabeça.

Querido São Valentim, por favor me ajude a encontrar forças para fazer a Catie se apaixonar por nuggets de frango. Obrigada. Amém.

Então, toda empolgada, eu peguei a Catie pelo braço e a levei para perto da minha mãe e disse que nós duas íamos querer nuggets de frango.

Minha mãe deve ter visto a Catie tremendo igual a um coelho amedrontado porque ela perguntou se era isso mesmo que a Catie queria.

A Catie olhou para mim e eu percebi que ela tinha engolido em seco antes de dizer:

– Sim, por favor.

– Com batata grande – eu acrescentei.

Eu levei a Catie até a mesa antes que ela mudasse de ideia. A gente se apressou para conseguir sentar perto da janela.

– Você vai adorar os nuggets de frango – eu prometi.

A Catie farejava:

– O cheiro daqui é bom.

Minha mãe chegou e colocou uma bandeja cheia de nuggets e batata frita na frente da Catie.

Eu sorri quando minha mãe me deu minha bandeja.

– Isso é perfeito para o meu trabalho – eu disse, peguei o celular e tirei foto.

Os olhos da Catie se iluminaram.

– Já sei!

Rapidinho, ela arrumou os nuggets dela em formato de coração e empilhou as batatas fritas no meio. Depois, enquanto eu ajustava o foco da câmera, ela pegou o ketchup e desenhou um coração pequenininho por cima.

– Ficou genial! – eu disse, tirando uma foto. – Meu trabalho vai ficar demais!

Depois, a Catie pegou um nugget e deu uma mordida.

Eu prendi a respiração e me inclinei na cadeira, com o coração batendo forte.

E se os nuggets tivessem gosto estranho na boca dela porque a vida inteira ela comeu peixe orgânico cozido?

Eu nem pisquei, porque não queria perder nada.

Primeiro, a Catie franziu a testa, depois ela engasgou, depois deu um sorriso largo e disse:

– Que delícia!

Meu coração batia acelerado, como se tivesse um coelho feliz dentro do meu peito.

EU: Você gostou _mesmo?_

CATIE: Eu AMEI!

Parecia que eu tinha ganhado um troféu! Eu convenci a Catie Brown a experimentar o primeiro nugget da vida dela! E ela amou!

Deve ser um sinal do São Valentim. Quando o professor Bacon e minha mãe se conhecerem, eles vão se apaixonar. Tenho CERTEZA.

Eu mal posso esperar até segunda-feira para colocar a _Missão Bagunceira_ em ação.

Segunda-feira, 10 de fevereiro

Fazer bagunça na sala de aula é muito difícil!
Eu não sei como o Jason consegue fazer isso
O TEMPO TODO. Ele deve ter energia suficiente
para ligar um zilhão de torradeiras.

O último sinal tocou há cinco minutos. Se meu
plano tivesse dado certo, eu estaria no parquinho
com o professor Bacon e ele estaria esperando
a minha mãe. Mas não deu. Estou esperando no
vestiário, rabiscando no meu diário, enquanto a
Catie usa o banheiro.

(*suspiro*)

Não é que eu não tenha TENTADO ser
bagunceira. Eu passei a manhã inteira sonhando
acordada e não fiz a lição. O professor B me
disse várias vezes para eu fazer a lição, mas eu
só fiquei olhando para a janela.

Eu achei que ele ia pedir para falar comigo quando tocasse o sinal do recreio, mas ele só olhou feio para mim e depois foi para a sala dos professores.

Eu conversei sobre isso com a Catie no parquinho.

EU: Posso fingir que eu belisquei você ou algo do tipo?

CATIE: Mas você vai parecer má e você não é má.

EU: Eu poderia passar bilhetinhos para você e cochichar piadas para fazer você dar risada.

CATIE: Mas aí o professor pode querer falar com a minha mãe e não com a sua. E se ele se apaixonar pela mãe errada?

Ia ser um desastre! Mas eu não ia desistir. Eu pensei tanto que minha cabeça doeu. Só que aí eu tive uma ideia.

Depois do recreio, tirei todos os livros da gaveta e, enquanto o professor Bacon falava sobre a festa das cerejeiras no Japão, eu comecei a construir uma torre na carteira. Usei livros para fazer os muros e equilibrei duas réguas em cima para construir outro andar. Ficou bem impressionante.

O professor só reclamou depois que eu construí o terceiro andar, porque ele não conseguia mais me ver por trás da minha torre.

PROFESSOR: O que você está fazendo, Pippa?

EU: Construindo um templo japonês, professor

PROFESSOR: Por quê?

EU: Estou fazendo um cenário para ajudar na sua aula.

PROFESSOR: Eu não preciso de ajuda, obrigado. Por favor, desmonte o seu templo.

EU: Posso terminar o telhado primeiro?

PROFESSOR: (parecendo impaciente) Você gostaria de ficar depois da aula para terminar o templo?

EU: Não posso (segurando dois lápis de cor).

O senhor e a senhora Lápis precisam de uma casa agora (colocando os lápis de cor embaixo do templo, depois fazendo uma voz boba e sacudindo um dos lápis). "Senhor Lápis, gostaria de uma xícara de chá?" (sacudindo o outro lápis) "Não, obrigado, senhora Lápis, vou fazer um desenho." (dando um sorrisão para o professor) Entendeu? O senhor Lápis vai fazer um desenho!

O professor B franziu a testa:

— Pippa, você está atrapalhando a aula.

Eu senti que meu rosto estava ficando vermelho, mas era por uma boa causa, então eu me forcei a ficar sentada e disse:

— Eu só estava tentando ajudar.

Ele franziu mais ainda a testa:

— Por favor, largue o senhor e a senhora Lápis, desmonte o seu templo e venha falar comigo depois da aula.

Eu pensei que tinha dado certo! Eu estava tão empolgada quando desmontei o meu templo e o transformei em uma simples pilha de livros e coloquei o senhor e a senhora Lápis para dormir no meu estojo. Com certeza, ele ia falar com a minha mãe.

Depois da aula, eu fiquei do lado da mesa dele enquanto o resto da classe saía em fila. As gêmeas me lançaram um olhar de cumplicidade, a Catie cruzou os dedos me desejando sorte. O Jason mostrou a língua e ficou satisfeito porque outra pessoa estava em apuros e não ele.

Depois que todos foram embora, o professor Bacon se levantou e sentou na frente da mesa dele. Então, com olhos enormes e um jeito compreensivo, ele disse:

– Você não é de se comportar mal na aula. Está acontecendo algo de errado, Pippa?

Minha cabeça começou a girar. <u>É claro que está acontecendo alguma coisa errada! Minha mãe vai passar o Dia dos Namorados sozinha e isso não é justo porque ela é incrível!</u> As palavras rolavam dentro da minha cabeça em grandes letras brilhantes, mas eu não podia dizer nada para ele porque isso ia estragar o meu plano. Então eu dei de ombros.

O professor tentou bancar o detetive:

– Está tudo certo na sua casa?

– Tudo certo – respondi.

Eu não queria que ele achasse que a minha mãe não era a melhor mãe do mundo (porque ela é).

Ele olhou para mim, parecendo confuso:

— Então por que você ficou bagunçando o dia inteiro?

Eu dei de ombros de novo.

Ele balançou a cabeça, parecendo mais confuso ainda:

— É melhor você ir para casa, Pippa — ele disse. — Quero que você esteja normal amanhã. Se você continuar se comportando mal assim, vou ter que falar com os seus pais.

EU: (ansiosa) Minha mãe deve estar esperando lá fora. Você pode falar com ela agora.

PROFESSOR BACON: (balançando a cabeça) Vou dar outra chance para você. Digamos que você teve um dia ruim e vamos ver como se comporta amanhã.

Eu fui arrastando os pés até o corredor, a Catie e as gêmeas estavam me esperando lá.

CATIE: (pulando toda empolgada) E aí? O que ele disse? Ele vai falar com a sua mãe?

EU: (largando a mochila no chão) Ele vai me dar outra chance. Vou ter que fazer tudo de novo amanhã.

CATIE: (me abraçando) Não se preocupe, Pippa! Veja com a sua mãe se você pode ir para a minha casa. A gente vai bolar um plano. TENHO CERTEZA que você vai se meter em confusão amanhã.

(A Julie e a Jennifer se olharam como se eu tivesse enlouquecido.)

JULIE: (para mim) Você <u>quer</u> se meter em confusão?

JENNIFER: Eu ia odiar se o professor Bacon ficasse bravo comigo.

CATIE: (explicando) A mãe da Pippa e o professor Bacon <u>precisam</u> se apaixonar antes do Dia dos Namorados.

As gêmeas pareciam confusas, então a Catie explicou um pouco mais:

— A mãe da Pippa vai ter que passar o Dia dos Namorados sozinha, por isso queremos que o professor Bacon a peça em casamento.

Eu também falei:

— E ele não vai pedir a minha mãe em casamento se eles não <u>se conhecerem</u>. Então ela

tem que vir até a escola. E isso significa que eu
tenho que me meter em confusão.

A Catie ficou com cara de apaixonada:

– Ia ser tããão romântico! – ela me levou até
a porta. – Rápido, Pippa. Pergunte para a sua
mãe se você pode ir para a minha casa. A gente
tem que bolar um plano!

Ela perguntou se as gêmeas queriam ir
também, mas elas têm aula de caratê toda
segunda. Então fui perguntar para a minha
mãe.

Minha mãe estava tão linda parada no
portão da escola! Ela estava usando
um vestido esvoaçante. (Eu implorei
para ela usar um ontem à noite.
Ela queria saber por que, mas eu
disse que eu fico feliz quando
ela está bonita.)

Ai, ai! Por que o professor Bacon não quis falar com ela hoje? (*suspiro*)

Mas eu NÃO vou ficar triste. O professor Bacon só estava sendo gentil, o que significa que ele é mais perfeito ainda para a minha mãe. Hoje à noite, eu e a Catie vamos pensar em um plano mirabolante para amanhã.

Mais tarde

Eu estava CERTA!

Bolamos o MELHOR PLANO DE TODOS!

Eu e a Catie preparamos o Kit Bagunceira: está cheio de ideias que vão fazer o professor Bacon ficar TÃO bravo comigo que ele vai ter que falar com a minha mãe!

A gente estava na casa da Catie e a mãe dela queria que eu ficasse para o jantar, então eu liguei para a minha mãe para saber se eu podia ficar lá e a gente subiu a escada correndo.

Assim que a gente entrou no quarto da Catie, ela pegou um grande bloco de notas. As primeiras ideias que a gente teve eram bobas (mas a gente riu bastante com elas):

1. Cantar o hino nacional na hora da chamada.

2. Tocar o trombone da Catie.

3. Fingir que eu sou uma trapezista e me pendurar nas lâmpadas fluorescentes.

Mas aí a gente começou a ter umas ideias melhores.

KIT BAGUNCEIRA DA PIPPA

Levantar a mão e fazer uma pergunta a cada dois minutos.

Fingir que eu não estou escutando o professor Bacon e perguntar "O quê?" toda hora.

Ir até o cesto de lixo para apontar o lápis a cada cinco minutos.

Falar em francês (eu só sei dizer *bonjour*, *très* e *au revoir*, mas acho que isso serve).

Bater o pé no chão toda vez que o professor começar a falar.

Ficar assoando o nariz.

Cantarolar toda vez que o professor virar para a lousa.

Não é DEMAIS? Se eu fizer tudo o que está na lista, o professor Bacon vai ficar uma FERA!

(Desculpe, professor, mas você vai me agradecer por isso no dia do seu casamento.)

CASAMENTO! Eu já estou até imaginando!

Não vai ter soldados romanos nem pescadores portugueses. Mas vai ser em um lugar muito legal. No final, a gente pode fazer uma festança naquele hotel no interior, lá onde eu e a minha mãe paramos ano passado, quando voltávamos do Parque Central. Imagino toda a nossa família e as amigas da minha mãe sentadas, todas com roupas chiques, e o professor Bacon fazendo um discurso. Ele dá uma batidinha na taça de champanhe para chamar a atenção de todos e diz: "Estamos aqui hoje graças à Pippa. Graças ao plano genial

dela (e da Catie), eu conheci a mulher mais maravilhosa deste mundo". E aí ele olha para a minha mãe com olhar sonhador e ela olha para ele com olhar apaixonado e todas as pessoas ficam com os olhos cheios de lágrimas, porque é muito fofo. E depois, todos os nossos amigos e parentes se aproximam de mim e da Catie (a gente está usando os vestidos de dama de honra mais lindos do mundo) e dizem como eu sou maravilhosa por ter juntado minha mãe e o professor Bacon. Eu fico arrepiada de felicidade só de pensar nisso!

A Catie e eu estávamos tão animadas com o nosso Kit Bagunceira que a gente não conseguia parar de tagarelar na hora do jantar. Eu quase não reparei nas três saladas, no pão <u>integral</u> (eca!) e nas salsichas orgânicas FEITAS DE NOZES!!!

  Eu me recusei a experimentar o molho de queijo azul (tinha cheiro de chulé) e pedi para colocar ketchup no lugar. O ketchup deixou a salada com um gosto MUITO melhor e me fez dar uns arrotos com gosto bom a noite toda.

Quando a minha mãe foi me buscar, ela perguntou por que eu estava rindo tanto. Eu falei para ela que a gente tinha se divertido e que eu estava ansiosa para ir à escola no dia seguinte. E é a mais pura verdade.

Por favor, São Valentim, preciso da sua ajuda com o plano amanhã! Se o professor Bacon e a minha mãe se apaixonarem, eu prometo que vou virar padre e vou casar centenas e centenas de pessoas. Vai ser moleza porque não tem mais nenhum imperador para arrancar minha cabeça. Pelo menos eu acho que não. Vou ter que ligar para o meu pai e perguntar para ele...

Terça-feira, 11 de fevereiro

Oh, não! Que <u>desastre!</u> O plano falhou, deu tudo ERRADO!

 Está na hora do recreio e estou esmagada em uma cabine do banheiro para poder escrever no meu diário. A Catie está na aula de trombone, então não posso falar com ela. ☹☹ O que é que eu vou fazer? Minha vida está oficialmente arruinada.

Eu fiz tudo o que estava na lista! Eu levantei a mão três vezes <u>antes</u> da chamada e perguntei para o professor Bacon:

1. Quantos patos cabem em um avião?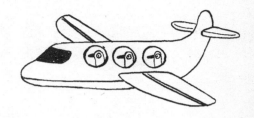

2. Os cangurus conseguem pular em um pé só?

3. Por que os pinguins não têm queimaduras de frio?

E <u>depois</u>, quando o professor começou a fazer a chamada, eu fingi que não estava escutando, ele teve que dizer meu nome QUATRO vezes, e então eu respondi em francês e disse "*bonjour*" em vez de "presente".

E <u>depois</u>, enquanto ele estava entregando as folhas de exercícios sobre a nossa excursão ao zoológico, eu comecei a sapatear sentada até que ele me pedisse para parar.

E _depois_, eu fiz _mais_ perguntas, só que cantando:

1. ♫ Por que se chamam folhas de exercícios e não flores de exercícios? ♫

2. ♫ Por que tem treze perguntas na folha de exercícios? ♫

3. ♫ Por que o número treze dá azar? ♫

Eu percebi que o professor Bacon estava ficando irritado porque ele começou a me ignorar toda vez que eu levantava a mão.

Então, eu me balancei para cima e para baixo na cadeira e acenei com a mão como se eu estivesse desesperada para ir ao banheiro. Finalmente, ele me perguntou:

– O que foi, Pippa?

– Esqueci – eu disse, dando de ombros.

Estava dando tudo muito certo. Até o Jason parecia impressionado. E aí uma coisa horrível, muito horrível aconteceu. De repente, o professor Bacon bateu o apagador na mesa dele e disse:

– PIPPA MORGAN, SE VOCÊ NÃO PARAR DE FAZER BAGUNÇA, VOCÊ VAI TER QUE PASSAR O RESTO DO SEMESTRE PERTO DO JASON NA CARTEIRA DOS MENINOS!

Eu ouvi a Catie suspirar e ela olhou para mim, implorando com os olhos, e sussurrou:

– Não me abandone!

(*a Catie soluçando com o coração partido*)

<u>O QUE É QUE EU VOU FAZER???</u>

Se eu me comportar na sala hoje à tarde	Se eu aprontar na sala hoje à tarde
Eu fico sentada perto da Catie o resto do semestre.	Eu fico sentada com os <u>meninos</u> o resto do semestre.
Eu não me meto mais em confusão.	O professor Bacon vai falar com a minha mãe.
	Minha mãe e o professor B vão se apaixonar e se casar.
	Eu, minha mãe, o professor B e o São Valentim vamos ficar felizes.

Esta foi a decisão mais difícil que eu já tomei.

Mas a felicidade da minha mãe depende de mim! Eu vou ter que ser corajosa, como as celebridades da televisão em *Socorro, sou famoso*. Elas têm que rastejar por túneis cheios de baratas para conseguir comida. Se as celebridades conseguem fazer isso, eu consigo passar o resto do semestre sentada perto do Jason Matlock, tudo para ver a minha mãe casada antes do Dia dos Namorados.

Mais tarde (voltei para casa)

Eu aprontei.

Eu ignorei o professor Bacon na hora da chamada e gritei para o Jason do outro lado da sala enquanto o professor entregava as folhas de exercícios.

— Ei, Jason! Acho que escutei o barulho de um caminhão de sorvete lá fora. Você viu?

Não tinha como o Jason resistir. Em menos de um segundo, ele estava em pé na cadeira.

— Não tem nada lá fora — o Jason gritou, espiando pela janela. — Você está imaginando coisas.

— Eu sempre imagino coisas! — eu gritei para ele.

O professor Bacon chamou isso de "a gota d'água". (Ele estava praticamente roxo de raiva.) Ele esbravejou:

– SENTADO, JASON! PIPPA MORGAN, PEGUE SEUS LIVROS E VÁ SE SENTAR COM OS MENINOS!

Todos ficaram bem quietos. O Jason voltou rapidinho para o lugar dele. A Catie apertou a minha mão por baixo da carteira. Eu olhei para o professor para ver se ele ia dizer mais alguma coisa. Mas ele não fez nada, só continuou entregando as folhas de exercícios.

Como eu não saí do lugar, ele me encarou e disse:

– AGORA!

Eu estava mais vermelha que um tomate em chamas, peguei meus livros e juntei minha carteira com a dos meninos. O Jason deu um sorriso malicioso para o Tom e eu sentei do lado do Jason.

E A PIOR PARTE...

... é que o professor Bacon NÃO disse que ia falar com a minha mãe!

Eu me meti em confusão por nada e eu ia passar o resto do semestre ouvindo as fungadas do Jason. Nem tive coragem de olhar para a Catie. Se eu visse a carinha dela, com certeza eu ia chorar.

Então, depois que o último sinal tocou, eu estava colocando meu casaco e o professor Bacon parou do meu lado.

– Venha comigo, Pippa Morgan! Vamos esperar no parquinho – ele disse.

– Sério? – eu pisquei para ele, surpresa.

Meu rosto ficou vermelho e a felicidade tomou conta de mim.

Eu mal podia acreditar!

<u>Ele ia falar com a minha mãe!</u>

Eu *segui* o professor até o parquinho. Era TÃO DIFÍCIL disfarçar minha felicidade. Eu quase explodi de emoção.

Pela janela da sala, eu vi que as gêmeas estavam fazendo uma dança de comemoração. A Catie estava com elas, olhando para mim. Dava para ver que ela estava me desejando sorte.

– Aquela é a sua mãe? – o professor Bacon perguntou, examinando a multidão de pais e mães que se amontoavam em volta dos portões da escola como se fossem pinguins.

Eu seguia o olhar dele, meu coração explodia de felicidade.

Então eu a vi.

AI, NÃO!

Meu coração parou de bater e foi parar nos meus pés.

Minha mãe estava HORRÍVEL! Eu tinha esquecido completamente que ela ia pintar a cozinha hoje. O cabelo dela estava escondido debaixo de um lenço esfarrapado. O rosto dela estava sujo de tinta amarela. Ela estava vestindo uma roupa velha do meu pai, que estava rasgada no cotovelo e no joelho.

Eu até pensei em mentir e dizer para ele que eu ia embora sozinha, mas minha mãe já estava ziguezagueando no meio da multidão, vindo na minha direção.

– Pippa, aí está você! – ela viu o professor Bacon e parou na nossa frente, franzindo a testa. – Está tudo bem?

– Eu queria dar uma palavrinha com a senhora, se tiver tempo – o professor Bacon disse, apontando para o portão da escola.

Minha mãe me lançou um olhar de preocupação e eu sorri para acalmá-la, mas ela não parecia mais calma quando foi atrás do professor Bacon até a sala de aula.

PROFESSOR BACON: (se espremendo em uma das cadeirinhas do lado da carteira da

Mandy Harrison) A Pippa tem aprontado nos últimos dias.

MINHA MÃE: (se espremendo na cadeira do outro lado da mesa) Ah, é? (Eles pareciam palhaços amassados em um carro de palhaços.)

EU: Mas eu _tive_ que fazer isso.

MINHA MÃE E O PROFESSOR JUNTOS: Você _teve_ que fazer isso?

EU: (mentindo) Era para o meu trabalho de Dia dos Namorados. Uma das coisas que eu mais amo é ser boba. Eu estava fazendo uma pesquisa para saber como era ser boba na escola.

PROFESSOR: Mas você atrapalhou a aula inteira.

EU: (fingindo estar arrependida) Eu não tinha pensado nisso.

PROFESSOR: Deveria ter pensado.

EU: Você já conhecia a minha mãe, professor Bacon?

MINHA MÃE: (respondendo primeiro) A gente se conheceu na reunião de pais e professores, Pippa.

EU: Mas você estava casada com o papai naquela época. Ele nunca tinha encontrado só você (dando uma olhada expressiva para o professor B). Acho que ele nem sabe que você está solteira agora. E que você ainda não tem namorado.

MINHA MÃE: (o vermelho do rosto dela se misturava com as manchas de tinta) Pippa! Silêncio!

EU: Mas você é muito mais interessante que eu. Professor Bacon, (apontando para a roupa rasgada da minha mãe) minha mãe sabe pintar a casa sozinha!

MINHA MÃE: (me interrompendo) Pippa!

EU: (ignorando a minha mãe) Ela está pintando a cozinha. É por isso que ela está com essa aparência feia. Geralmente, ela é bem mais bonita. E ela está aprendendo a cozinhar. Ela inventou a pizza frita. É uma delícia!

PROFESSOR: (sorrindo de repente) [Parecia que ele tinha adivinhado o meu plano. Mas isso seria <u>impossível</u>. As pessoas mais velhas nunca entendem o que está acontecendo.] Deve ser uma delícia mesmo, Pippa. Sua mãe parece ser uma mulher maravilhosa, mas estamos aqui para falar sobre o seu comportamento.

Eu comecei a entrar em pânico porque os dois estavam olhando para mim, e não um para o outro. Eles ainda não tinham se apaixonado, então eu examinei a sala de aula para ver se achava coisas que eles dois poderiam gostar. Mas tudo o que eu consegui ver foi a lousa.

— Na nossa cozinha também tem uma lousa — eu disse para o professor B, desesperada.

— Minha mãe usa a lousa para fazer listas de compras. Ela tem uma caligrafia bem bonita na lousa, que nem você.

Minha mãe estava olhando para mim como se eu estivesse louca, mas eu continuei falando mesmo assim:

– Vocês têm tanto em comum. Para começar, vocês dois são solteiros. Eu acho que os adultos não deveriam ser solteiros, de verdade. Sabiam que o Dia dos Namorados está chegando?

Minha mãe levantou as sobrancelhas (ela tinha feito a mesma coisa quando eu tentei cortar meu cabelo sozinha):

– Pippa, por acaso você está tentando armar um encontro...

O professor Bacon interrompeu minha mãe:

– A Pippa é uma aluna encantadora, senhora Morgan. A senhora deve ter muito orgulho dela. Eu sei que ela vem aprontando nos últimos dias, mas agora que conversamos, percebi que foi apenas um lapso.

Um <u>lapso</u>? Olhei feio para o professor.

PROFESSOR: Tenho certeza de que, se você conversar com ela (levantando as sobrancelhas e olhando para a minha mãe, como se estivesse mandando mensagens secretas para ela com os olhos), ela vai voltar ao normal amanhã.

MINHA MÃE: (levantando as sobrancelhas e mandando mensagens secretas para ele com os olhos, o que é esquisito. É como se ela também tivesse adivinhado meu plano) Tenho certeza que vai.

PROFESSOR: Ela está indo muito bem em Matemática este semestre e ela tem feito redações muito boas.

MINHA MÃE: (sorrindo) Ela herdou isso do pai. Ele é muito bom com números.

Eu fiquei olhando para ele, sem acreditar no que eu estava ouvindo. Por que eles estavam falando sobre o meu desempenho na escola? O Dia dos Namorados é em TRÊS DIAS! Eu juntei os dois e mostrei o que eles têm em comum. Será que eles não perceberam que era para eles se apaixonarem?

Minha mãe já estava em pé cumprimentando o professor Bacon, apertando a mão dele.

— Obrigada por ser tão compreensivo — ela disse.

Compreensivo? Ele não compreendeu nada! Nenhum dos dois entendeu nada! Mas ela continuou:

— Vou conversar com a Pippa quando chegarmos em casa. Tenho certeza de que vamos consertar isso.

EU: A gente já vai embora?

MINHA MÃE: Temos que ir para casa; meus pincéis já estão secando.

PROFESSOR: Só mais uma coisa.

Meu coração quase parou. Ele ia chamar minha mãe para sair. Eu sabia!

PROFESSOR: Eu falei para a Pippa que ela teria que se sentar com os meninos o resto do semestre, mas, agora que sabemos por que ela estava agindo assim, acho que ela pode voltar a se sentar do lado da Catie.

Mas eles <u>não</u> sabiam por que eu tinha aprontado! Não o motivo real. Se eles soubessem, já estariam planejando o primeiro encontro.

MINHA MÃE: Obrigada, professor.

Aí ela pegou na minha mão e me levou até o carro. Enquanto eu pulava para o banco do passageiro, eu me senti estranha, como se tivessem me tirado de um filme inacabado. Meus pensamentos estavam girando. E se minha mãe e o professor se apaixonaram e eu não percebi? Será que foi por isso que eles trocaram mensagens secretas com os olhos? Talvez o professor Bacon fosse ligar para a minha mãe mais tarde e chamá-la para sair. Talvez ela já tivesse planos de mandar um cartão de Dia dos Namorados para ele.

Imaginei o professor encontrando o cartão na mesa dele e sorrindo. Em questão de semanas, ele anunciaria o casamento e todos se juntariam ao meu redor no parquinho porque a minha mãe ia casar com o professor. E eu poderia chamar a Catie para ser dama de honra comigo.

Aí minha mãe interrompeu meus pensamentos.

– Foi muito bonito da sua parte, Pippa.

Eu olhei para ela, perplexa:

– O quê?

– Tentar juntar o professor Bacon e eu – ela respondeu.

Eu fiquei vermelha:

– Você sabia?

Minha mãe deu um sorriso amarelo:

– Ele é legal, mas no momento eu estou feliz solteira.

– Mesmo com o papai namorando a Faye? – perguntei. Ela não tem ciúmes?

– Estou contente que o seu pai está feliz – ela me contou. – E um dia eu também vou encontrar alguém de quem eu goste, mas agora eu tenho muitos motivos para ficar feliz – ela fez carinho no meu cabelo.

E foi isso. Dois dias de aula desperdiçados com um plano que não funcionou. (*suspiro*) Minha mãe vai ficar sozinha para sempre. Mas ela não parece triste com isso. Ela está pintando a cozinha enquanto eu escrevo no diário. Daqui dá para ouvir o rock dela, e ela está cantando junto. É, talvez eu esteja errada. Talvez ela não precise de um marido.

Adultos não fazem sentido NENHUM.

A boa notícia é que a gente vai comer peixe com batata frita no jantar, porque a cozinha está coberta de folhas de plástico.

Pensando bem, acho que foi bom ela e o professor Bacon não se apaixonarem. Imagine ter um professor como padrasto. Ele provavelmente me daria mais lição de casa e ficaria testando minhas habilidades em Matemática. E ele ia querer que eu acertasse todos os exercícios na aula. E eu não ia poder fazer lição de casa na frente da televisão. E eu não ia poder dar nenhuma desculpa se eu não fizesse a lição, porque ele ia saber que o meu peixinho-dourado não estava doente e que eu não tinha ficado

presa fora de casa nem dormido no carro. Acho que ele ia colocar uma lousa em cada cômodo e me obrigar a fazer ditados e a escrever o nome de todas as esposas do Henrique VIII.

E aposto que todos os amigos dele são professores. Ele chamaria os amigos para jantar e eu ficaria cercada. A sala de estar seria igual a uma sala de professores!

Aposto que ele é o melhor amigo do diretor Badger. Imagine: o diretor da escola na <u>minha</u>

sala de estar! A minha casa ia ficar parecendo a escola, só que eu seria a única aluna. Minha vida seria a PIOR DE TODAS!

E EU IA TER QUE MUDAR MEU NOME PARA PIPPA BACON!!!!!

Uau! Eu me livrei da maior fria de todos os tempos. E estou tão contente, ainda bem que somos só eu e a minha mãe. A gente se diverte muito juntas, ela é a melhor mãe do mundo.

Minha barriga está roncando. Vou ver se já está na hora de ir para a lanchonete.

Quarta-feira, 12 de fevereiro

Na escola, eu contei tudo para a Catie e para as gêmeas. Quando a Catie viu como eu estava feliz que o professor Bacon não ia ser meu padrasto, ela riu da roupa suja de tinta que a minha mãe tinha usado. As gêmeas ficaram me chamando de Pippa Bacon, o que foi engraçado no começo, mas depois ficou sem graça. A Catie falou para elas pararem de me provocar. (A Catie sempre sabe quando eu estou com vergonha. É por isso que ela é a melhor) Então eu contei para a Catie que eu ia poder sentar do lado dela de novo e a gente ficou gritando e pulando para cima e para baixo. Eu fui muito bem na aula e o professor Bacon sorriu para mim várias vezes. Será que ele adivinhou que eu estava tentando juntar a minha mãe e ele?

No caminho para casa, eu perguntei para a
Catie se a gente podia parar no parquinho.
Eu queria tirar foto dos balanços para o meu
trabalho. Eu tirei algumas fotos, mas os
balanços estavam vazios. Estava garoando e
não tinha mais ninguém por perto, então eles
pareciam meio tristes. Eu pedi para a Catie se
sentar em um deles para eu tirar umas fotos.
Achei que ela ia se balançar bem alto, mas ela
só sentou e balançou um pouco e arrastou os
dedos pelo chão.

EU: Você não gosta de brincar de balanço?

CATIE: É chato.

EU: (olhando com espanto) Chato?

CATIE: É, a gente só fica subindo e descendo.

Eu dei a câmera para a Catie e comecei a me balançar. Brincar de balanço NÃO é chato.

E eu mostrei para ela. Eu fiquei me balançando para a frente e para trás tão alto que meus pés apontaram para o céu e meu cabelo arrastou pelo chão.

EU: Eu sou um foguete indo para a lua! Estou num barco em alto mar no meio de ondas gigantes! Sou o pêndulo do maior relógio do mundo!

A Catie tirou umas fotos, depois sentou no balanço do meu lado e começou a se balançar.

Não demorou muito para ela balançar mais alto que eu, e eu mudei a velocidade para que a gente pudesse balançar juntas. Toda vez que a gente ia para a frente, minha barriga ia parar na minha garganta, e quando a gente ia para trás, meu cérebro descia rápido até os meus pés.

A Catie começou a gritar do meu lado:

– Que divertido!

Eu virei a cabeça e vi que a Catie estava sorrindo. Ela juntou as pernas como dois pauzinhos para voar ainda mais alto.

– Com certeza, balançar não é chato quando a gente balança assim! – ela gritou. – Parece que estou em uma montanha-russa!

A gente parou de brincar porque já tinha perdido o fôlego, e o céu começou a escurecer.

A Catie perguntou se eu queria ir para a casa dela, então a gente parou na minha casa e pediu para a minha mãe e ela disse que sim, e aí a gente foi até a casa da Catie.

A senhora Brown estava na cozinha quando a gente chegou lá. Eu ouvi uns pratos batendo como se ela estivesse esvaziando a lava-louça. Eu me lembrei de tirar os sapatos antes de atravessar o chão limpinho e brilhante do corredor. A Catie enfiou a cabeça pela porta da cozinha e disse para a mãe dela que eu estava com ela, e a senhora Brown perguntou se eu queria ficar para o jantar. Na hora, passou pela minha cabeça um ensopado de peixe orgânico, então eu fiquei em dúvida, mas aí a senhora Brown disse:

– Vamos comer nuggets de frango.

A Catie sorriu para mim e eu gritei:

– Eba!

Então a gente correu para o quarto da Catie e pulou em cima do tapete branco e macio que flutuava como uma nuvem no carpete cor-de--rosa dela.

Ela caiu na cama e disse:

– O que a gente vai fazer?

Mas eu já sabia. Eu queria ouvir a Catie tocar trombone. Eu vi o estojo preto enorme que ela levava para a escola quando tinha ensaio da banda ou aula de trombone. Tinha uma pontinha do estojo aparecendo debaixo da cama. Eu puxei o estojo e olhei para a Catie igual a um cachorrinho fofo.

– Você pode tocar trombone?

A Catie corou na hora, ficou mais cor-de-
-rosa que a coberta dela. Ela nunca tinha tocado trombone na minha frente.

– Eu tenho medo de tocar em público – ela cochichou.

– Mas você toca nos ensaios da banda e na aula – eu justifiquei.

– É diferente – ela disse. – Eles não esperam que eu seja perfeita.

– Eu não espero que você seja perfeita – eu falei para ela.

A Catie olhou para mim, desconfiada.

Então eu cantei para ela.

Eu tenho a pior voz do mundo. Eu canto tão mal que chega a ser engraçado. A Catie sabe disso porque ela já me ouviu cantar na escola. Assim que eu comecei, ela caiu na gargalhada. Ela rolou pela cama, rindo e cobrindo as orelhas.

Então eu parei de cantar e falei:

– Não pode ser pior que isso.

A Catie sentou e disse:

– Nada é pior que isso!

Eu abri o estojo na hora.

– Então, quero ver. Toque – eu a desafiei.

A Catie tirou o trombone do estojo. Ela parecia nervosa. Ela parou em cima do tapete macio e colocou o trombone nos lábios.

Ela não olhou para mim e eu fiquei quietinha na cama, tentando agir como se eu não estivesse ali para não deixar a Catie constrangida.

E ela começou a tocar.

Foi incrível! Ela não acertou todas as notas, mas ela tocou muito bem!

Quando ela terminou, eu falei:

– Você tem que tocar na apresentação do seu trabalho!

Ela ficou olhando para mim:

– Sem chance! Eu só vou mostrar uma foto do trombone.

– Qual o sentido de uma foto de um trombone? – eu falei. – Trombone a gente tem que ouvir, e não ver!

– Eu não consigo tocar na frente de todos os alunos – a Catie me disse. – Eu ia morrer de vergonha – ela me entregou o trombone. – Quer tentar?

CLARO QUE SIM!

Eu peguei o trombone da mão dela e ela tentou me ensinar a soprar. Tem que fazer um som engraçado com os lábios ou então encher as bochechas de ar e soltar... não lembro direito. Eu só lembro que eu soprei tão forte que senti um estalo nas orelhas. E tudo o que

152

saiu do trombone foi um barulho triste, que nem uma baleia chorando.

A Catie começou a rir na hora.

Então eu tentei de novo.

Eu imaginei as baleias no mundo inteiro ouvindo meu choro e indo para a costa, tentando descobrir qual era o problema.

A Catie estava rindo tanto que não conseguia falar. Tinha lágrimas pulando dos olhos dela e ela começou a rolar no tapete.

Eu já estava com os lábios e as bochechas doendo.

— Como você consegue fazer um som tão bonito? — eu perguntei, colocando o trombone no estojo.

A Catie deitou sem fôlego no carpete, ainda abafando o riso.

— É prática — ela disse, soluçando.

Eu sentei na cama e olhei para ela fingindo estar séria:

— Acho que vou ter que aceitar que eu não sou boa com música.

A Catie olhou para mim e teve outro ataque de riso. Então eu comecei a atirar travesseiros e almofadas macias nela até eu rir tão alto quanto ela.

Quando a senhora Brown chamou a gente para comer os nuggets de frango, eu desci primeiro que a Catie. Eu estava farejando igual a um cachorrinho, esperando sentir o aroma familiar da minha lanchonete preferida. Mas eu só consegui sentir o cheiro de comida feita em casa, como se alguém tivesse cozinhado ingredientes de verdade.

Eu estava nervosa, mas fui até a mesa e sentei. O que a mãe da Catie fez com os meus amados nuggets de frango? Acho que ela cozinhou tudo em forma de ensopado orgânico. A Catie sentou perto de mim, parecendo animada, e eu sussurrei:

– Achei que a gente ia comer nuggets de frango.

A Catie olhou para a mãe dela, que apareceu com um prato grande. Ela colocou o prato na mesa e eu vi um monte de bolotas massudas crocantes do tamanho de bolas de golfe.

– Nuggets de frango caseiros! – a Catie explicou.

Eu olhei apavorada quando a senhora Brown disse para eu me servir e foi buscar a salada.

A Catie colocou um nugget no meu prato.

– Experimente.

Ansiosa, eu espetei aquele nugget enorme com o garfo. Dei uma mordida, pensando que ia sentir um gosto parecido com o do arroz integral e do queijo azul.

Mas adivinhe só!

Estava uma <u>delícia</u>!

Quase tão bom quanto o da lanchonete!

Eu comi sete. E a salada.

Eu acho de verdade que a senhora Brown está cozinhando melhor. Vou pedir para a minha mãe passar a receita da pizza frita para ela. Acho que ela já está pronta para fazer a pizza frita da minha mãe.

Sexta-feira, 14 de fevereiro

DIA DOS NAMORADOS!!!

Hoje foi o melhor dia de todos!

O professor Bacon encheu a classe de balões e serpentinas cor-de-rosa. As gêmeas estavam com roupas cor-de-rosa e a Catie com uma fita cor-de-rosa no cabelo. Eu não estava usando nada cor-de-rosa, porque não tenho nada dessa cor. Mas eu estava com o meu jeans vermelho e uma camiseta branca, porque a mistura de branco e vermelho é cor-de-rosa. E eu tinha encapado a pasta do meu trabalho de Dia dos Namorados com papel cor-de-rosa e desenhado duas figuras de São Valentim na capa: uma com

cabeça e a outra sem cabeça,
para mostrar como ele era corajoso.

Tinha um envelope em cima da
carteira de cada aluno, e a gente
não tinha permissão para abrir nada até que o
professor terminasse a chamada. Eram cartões
de Dia dos Namorados feitos por personagens
famosos da história. O meu era do Henrique VIII
e dizia "EU AMO ESPOSAS!" e o da Catie era
do Júlio César e estava escrito "Da decadência
ao apogeu, sou o melhor imperador que Roma já
conheceu".

A gente teve lição de matemática antes do
recreio, porque sempre temos que fazer lição
de matemática antes do recreio na sexta-feira,
mas depois teve a apresentação do trabalho de
Dia dos Namorados.

Parecia que minha barriga estava cheia de borboletas! Eu tinha treinado a noite toda. Eu estava torcendo para não falar tudo enrolado.

O professor Bacon deixou o Darren começar.

Ele falou sobre jogadores de futebol, Natal e salsichas. Depois o Tom falou sobre os três jogos de videogame favoritos dele. Depois a Julie e a Jennifer mostraram uns movimentos de caratê e cantaram uma música no *karaoke* (que foi bem legal) e depois a Mandy Harrison mostrou fotos do cachorro dela, da vó dela e passou o batom com cheirinho de morango dela para a gente cheirar. Ela disse que não sabia qual deles ela amava mais, só espero que não seja o batom, porque o Jason pegou o batom e comeu.

A Mandy Harrison tentou chutar o Jason, mas o professor Bacon conseguiu entrar no meio dos dois e fez o Jason prometer que ia comprar um batom novo para a Mandy.

Depois foi a minha vez.

Eu me levantei e abri a pasta. Primeiro, falei sobre brincar de balanço e como era divertido apontar para as estrelas como se eu fosse um foguete, depois mostrei as fotos que a Catie tinha tirado no parquinho. E aí eu falei sobre nuggets de frango e mostrei a foto do coração de nuggets da Catie.

Depois, eu falei sobre o Mike Hatchett e como os detetives eram incríveis e disse que eles deveriam ver o programa *Distrito Policial*. E aí eu apresentei a parte que eu tinha ensaiado: encenei a entrevista que eu fiz com aquele detetive de verdade que a gente tinha conhecido no zoológico.

Foi bem difícil porque eu tive que fazer duas vozes diferentes, uma para mim e outra para ele. E eu tinha acessórios: quando eu fazia o papel do detetive, eu colocava bem rápido os óculos escuros e um chapéu. Acho que deu certo.

EU: (com a minha voz normal) Diga seu nome, posto e número de patente.

DETETIVE: (colocando o chapéu e os óculos escuros e usando uma voz grossa de policial) Brad Burrows, detetive, número 22244.

EU: (tirando o chapéu e os óculos e usando a minha voz normal) Você tem um distintivo especial de detetive?

DETETIVE: (mostrando um distintivo que eu fiz com um pedaço de papelão de uma caixa de cereais) Sim.

EU: Qual é a melhor coisa de ser detetive?

DETETIVE: (lembrando da voz grossa, mas me esquecendo do chapéu e dos óculos) Ajudar as pessoas.

EU: Eu seria uma boa detetive?

DETETIVE: Sim.

Então eu me curvei como uma atriz de verdade, e o chapéu e os óculos caíram. Mas todos aplaudiram, principalmente a Catie e as gêmeas.

O professor Bacon deu um sorrisão para mim enquanto eu me sentava:

– Obrigado, Pippa. Foi bastante informativo e a pesquisa foi bem detalhada.

Eu sorri para ele orgulhosa e disse:

– Obrigada.

E aí ele fez sinal para a Catie.

– Quer ser a próxima?

A Catie parecia meio nervosa. Aí eu vi um estojo preto em cima da mesa dela. As borboletas voltaram para a minha barriga, fiquei empolgada. Ela estava com o trombone! E não era dia de aula de trombone nem de ensaio da banda. Será que ela ia tocar?

E então eu percebi. Acho que ela ia mostrar para a turma como é um trombone de verdade.

Ela falou sobre macacos e mostrou para os alunos a foto que eu tinha tirado dela como Rainha dos Macacos. E aí ela disse o quanto ela amava tocar trombone. Ela tirou o trombone do estojo. Bem na hora em que eu achei que ela ia guardar o trombone, ela o levantou até os lábios e começou a tocar.

Ela tocou uma melodia linda. E MUITO alta. Eu não conseguia parar de sorrir.

Mas essa não foi a melhor parte.

Depois de guardar o trombone, ela disse:

— Eu ia falar sobre a minha cor preferida, mas mudei de ideia porque existe uma coisa que eu amo mais que cor-de-rosa — ela olhou para a Julie e para a Jennifer. — Eu amo minhas amigas. Elas deixam a escola mais divertida. Sempre fico feliz quando estou com minhas amigas — daí ela olhou para mim.

– Principalmente quando estou com a minha melhor amiga, a Pippa Morgan.

Eu fiquei olhando para ela, sentindo uma felicidade subir em mim como um grande balão cor-de-rosa.

A Catie continuou:

– Eu amo a Pippa mais ainda porque com ela eu faço coisas que eu normalmente não faria. Graças a ela, eu experimentei nuggets de frango pela primeira vez e tive coragem de ir mais alto do que nunca no balanço. Foi a Pippa que me convenceu a tocar trombone hoje. E semana passada ela me salvou de uma cobra: mesmo não sendo uma cobra de verdade, na hora parecia, mas eu sabia que, se a Pippa estivesse comigo, tudo ficaria bem.

Eu quase explodi de orgulho e fiquei vermelha de vergonha, mas nem me importei.

Eu mal posso acreditar!

A Catie me chamou de MELHOR amiga.
É oficial! A Catie Brown e a Pippa Morgan são MELHORES AMIGAS PARA SEMPRE!!!
☺☺☺

Mais tarde

A minha mãe estava me esperando no portão da escola. Eu dei um abração enorme nela porque eu estava muito feliz e também porque era Dia dos Namorados e ela ainda não tinha se casado. E aí a gente foi para a lanchonete comer nuggets de frango, nosso presente especial de Dia dos Namorados.

Depois, a gente viu um filme meloso chamado *Quer ser meu namorado?*, que conta a história de um homem e uma mulher que se apaixonam um pelo outro quando estão passeando com os cachorros. Eu fiquei olhando de canto de olho para a minha mãe, para ver se ela estava triste. Era o primeiro Dia dos Namorados dela sozinha. Ela tinha que estar triste. Mas ela não <u>parecia</u> triste. Toda vez que um cachorro do filme fazia algo bonitinho, ela ria e, quando o homem e a mulher se beijaram pela primeira vez, ela ficou toda derretida. Então ela colocou o braço em volta de mim e me deu um abração e disse:

– Que tal chocolate de Dia dos Namorados?

– A gente tem chocolate? – eu perguntei.

E ela tirou uma caixa cor-de-rosa bem grande de trufas de baixo do sofá e disse:

– Claro! Não dá para passar o Dia dos Namorados sem chocolate!

E eu perguntei:

– Mesmo se você não tiver namorado?

– Chocolate é o melhor namorado que existe. – ela disse, o que é a mais pura verdade.

Foi o melhor Dia dos Namorados de Todos!!!

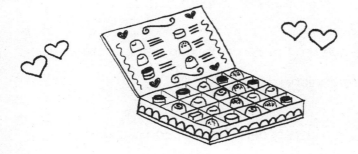

RECEITA DE PIZZA FRITA DA MAMÃE*

1. Pegue uma pizza comprada semipronta e tire a embalagem.

2. Sem querer, derrube a pizza no chão.

3. Bem rápido, pegue a pizza do chão e grite "regra dos três segundos" (de acordo com a minha mãe, se a gente deixar alguma coisa cair no chão e pegar em três segundos, os germes não têm tempo suficiente para chegar até a comida. Eu não sabia que os germes andavam tão devagar. Mas acho que se eu fosse um germe e uma pizza enorme caísse na minha cabeça, eu ia ficar um bom tempo assustada demais para andar).

4. Ignore por completo as instruções da embalagem para colocar a pizza no forno.

5. Aqueça uma frigideira e coloque a pizza dentro.

6. Quando começar a sair fumaça, tire a pizza da frigideira.

7. Raspe os pedaços queimados da parte de baixo da pizza e coma.

*Minha mãe disse que só os adultos podem fritar pizza, então por favor não tente fazer isso em casa!

COMO SE TORNAR UM DETETIVE, POR PIPPA MORGAN

- Você precisa ter facilidade para sacar as coisas, principalmente coisas suspeitas.

Isso pode ser difícil, porque quase todos os vilões tentam não parecer suspeitos. Eles não saem andando pela rua gritando "Saí para arrombar uma casa" ou "Oba, acabei de roubar um banco".

Então preste atenção nas pistas reveladoras, tipo quando o suspeito parecer um pouco nervoso ou estiver com olhos evasivos. (Eu não sei direito o que são "olhos evasivos", mas uma vez a Sally, a melhor amiga da minha mãe, viu um homem roubando umas salsichas do supermercado e disse "Eu sabia que ele ia aprontar alguma porque ele estava com aqueles olhos evasivos".)

- **Você precisa saber fazer perguntas.**

Detetives precisam interrogar suspeitos o tempo todo.

O detetive Mike Hatchett do *Distrito Policial* sabe mesmo interrogar suspeitos. A pergunta preferida dele é: "Você está mentindo para mim, filhinho?"

Esta é uma pergunta muito boa. Uma vez, achei que a minha mãe estava me enganando quando disse que não tinha mais biscoito de chocolate em casa, então eu falei: "Você está mentindo para mim, filhinha?", ela começou

a rir, aí ela pegou e me deu
um biscoito de chocolate!

- **Você deve querer ajudar as outras pessoas.**

    Os detetives ajudam todo tipo de pessoa. Eles não só protegem a gente dos criminosos, eles fazem um montão de coisas legais também, tipo ajudar velhinhas a atravessar a rua e dar orientações para as pessoas que estão perdidas. Eles também vão até as escolas e dão palestras.

    Quando o policial Buckley veio até a nossa escola fazer uma palestra sobre os perigos de falar com estranhos, eu fiz treze perguntas e meia. (O professor Bacon me parou no meio da décima quarta pergunta e disse que eu tinha que deixar os outros alunos perguntarem também.)